作者簡介
吉歐夫・華林（Geoff Waring）

　　華林在英國倫敦北部的巴內特長大，從小就喜歡觀察自然，並把觀察到的鳥類和昆蟲畫下來。後來，進入曼徹斯特技術學院學習平面設計，畢業後即投入雜誌工作，當過好幾個知名時尚雜誌的藝術總監，目前是英國《魅力》（Glamour）雜誌的創意總監。

　　華林把自己養的貓——奧斯卡，化身為繪本中的好奇貓，他用電腦繪圖畫出像剪紙和色紙拼貼的效果，大膽簡單的構圖、典雅柔和的顏色，使作品充滿十足的設計感。

作者／吉歐夫・華林（Geoff Waring）　譯者／陳雅茜

編輯顧問／林文寶　責任編輯／吳雪梨　封面設計暨美術編輯／吳慧妮（特約）

出版者／天下遠見出版股份有限公司　創辦人／高希均、王力行

天下遠見文化事業群　總裁／高希均　發行人暨事業群總編輯／王力行

小天下總編輯／許耀雲　版權暨國際合作開發協理／張茂芸

法律顧問／理律法律事務所陳長文律師　著作權顧問／魏啓翔律師

社址／台北市104松江路93巷1號2樓

讀者服務專線／（02）2662-0012　傳真／（02）2662-0007；（02）2662-0009

電子信箱／gkids@cwgv.com.tw

直接郵撥帳號／1326703-6號　天下遠見出版股份有限公司

登記證／局版台業字第2517號

總經銷／大和書報圖書股份有限公司　電話（02）8990-2588

出版日期／2007年8月第一版第1次印行　定價／280元

原著書名／*OSCAR and the BAT：a book about sound*
Copyright © 2006 by Geoff Waring
Complex Chinese Edition Copyright © 2007 by Global Kid's Books, a member of
Commonwealth Publishing Group. 2F, #1, Lane 93, Sung-Chiang Rd., Taipei, Taiwan 104
Published by arrangement with Walker Books Ltd, 87 Vauxhall Walk, London SE11 5HJ

ISBN：978-986-417-870-4（精裝）　書號：KI032

小天下網址　http://www.gkids.com.tw

※本書如有缺頁、破損、裝訂錯誤，請寄回本公司調換。

奧斯卡和蝙蝠

奇妙的聲音

文・圖／吉歐夫・華林　譯／陳雅茜

一個夏天傍晚， 奧斯卡來到草地上。
他聽到一個陌生的聲音，
於是東張西望，
想知道聲音從哪裡傳來？

蝙蝠突然飛了過來，
他說：「那是烏鶇小寶寶的叫聲，
他們的巢就築在那邊的樹叢裡。」
奧斯卡說：「哦！ 所以雖然我看不到他們，
也可以聽得到他們的聲音！」
蝙蝠說：「沒錯， 即使眼睛看不到，
我們還是可以靠耳朵知道附近有什麼。」

吱吱
吱吱
吱吱
吱吱 吱吱

7

接著，奧斯卡又聽見另一個聲音，
這次，他看見了聲音從哪裡傳來。

蝙蝠說：「那是烏鶇在叫，
警告其他烏鶇不要靠近他的巢。」

奧斯卡覺得烏鶇好像在唱歌，
他從來沒聽過這麼美妙的聲音。

「真希望我能像烏鶇那麼會唱歌！」他說。

蝙蝠說：
「貓咪有自己的聲音，
蝙蝠也一樣！」

吱吱

喵嗚

蝙蝠繼續說：
「我們用喉嚨
發出聲音，但
有些動物卻用
身體的其他部
位發聲。」

許多公蝨斯
會摩擦翅膀
發出聲音，
和母蝨斯
說話。

唧唧唧唧

有些蟑螂會用
身體側面的呼吸孔
發出聲音，
和同伴溝通。

嘶嘶
嘶嘶
嘶嘶
嘶嘶

有些公蜂鳥在築巢
期間，會用翅膀拍
打出響亮的聲音，
警告其他鳥類
趕快走開。

唧唧
唧
嗡嗡嗡

嘎啦   嘎啦

響尾蛇的尾巴末端
有硬硬的角質環，
一搖動就發出聲音，
警告其他動物
不要太靠近。

咔咔
嗶嗶
嗶嗶

瓶鼻海豚在水裡時，
會從噴氣孔附近發出聲音，
和夥伴交換訊息。

11

奧斯卡問：「所有的聲音都為了『說話』嗎？」

「大部分都是啊！」蝙蝠回答：「不過，
只要有東西在動，幾乎都會發出聲音。
你閉上眼睛，仔細傾聽一下，
聽到草地上有東西移動的聲音嗎？」

草不動的時候，
沒有聲音，
可是，風——來，草——動，
就有了沙沙的聲響。

沙沙

沙沙

沙沙

12

沙沙

沙沙

轟轟 轟轟 轟轟
轟轟 轟轟 轟轟

機器不動時， 很安靜，
一旦發動， 引擎轉了起來，
就產生了噪音。

池塘裡的水， 靜靜的沒有聲音；
河流裡的水， 總是嘩啦嘩啦在流動。

嘩啦
嘩啦

嘩啦

嘩啦

嘩啦
嘩啦

轟隆 轟隆 轟隆 轟隆

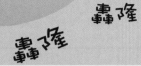

奧斯卡聽到另一個聲音從天上傳下來，
他問：「那是什麼在轟隆轟隆響呀？」

蝙蝠回答：「是打雷的聲音， 就快要下大雨了。
雖然打雷的地方很遠， 不過雷聲實在太巨大了，
所以我們還是聽得到。」

14

轟隆 轟隆 轟隆 轟隆 轟隆 轟隆

奧斯卡張開眼睛說：「雷聲愈來愈響亮了！」

蝙蝠說：「因為打雷的地方愈來愈近了。
雷聲愈靠近， 聽起來就愈響亮⋯⋯」

轟隆 轟轟！

「如果我們和巨大的聲音靠得很近⋯⋯

聲音聽起來就會非常響亮！」

蝙蝠大喊著，　奧斯卡趕緊跳開。

奧斯卡安全的躲在葉子
下面，傾聽著雨滴
一點一點的落下。
他說：「雨滴
離我也很近，
但是，聽起來
一點兒也
不可怕。」

滴答　滴答　滴答

滴答

滴答

滴答　滴答

滴答　滴答

滴答

蝙蝠說：
「那是因為雨滴的聲音
很輕柔，
並不像打雷的聲音
那麼刺耳。」

雨停了之後，
奧斯卡從葉子下
探出頭來傾聽，
他問：「打雷的地方
是不是變遠了？」

蝙蝠回答：
「是啊，是變遠了。
打雷的地方離我們
愈遠，雷聲聽起來
就愈小。」

最後，雷聲消失了。

奧斯卡輕聲說：「我什麼都聽不見了。」

蝙蝠說：「這叫做『安靜』……

如果我們不說話，就會變得很安靜。」

　　但就在這時候……

奧斯卡說：
「牛的聲音聽起來有點像打雷呢！」
「是啊，」蝙蝠說：
「牛的聲音很低沉， 聽起來隆隆作響，
不像烏鶇小寶寶的聲音那麼尖銳。」

烏鴉又唱起歌。

「我還是最喜歡這個聲音，」
奧斯卡說：「聽起來有好多變化，
而且不會太響亮或太可怕，
也不會太尖銳。
這個聲音剛剛好，就像音樂一樣！」

他嗚嗚嗚的跟著唱了起來……

嗚嗚嗚～～

25

就在這時候，
奧斯卡的媽媽來接他回家，
「這是我最喜歡的聲音了！」
奧斯卡的媽媽說。

但是，奧斯卡和蝙蝠
正聽得入神，
根本不知道媽媽來了呢！

再想一想：奇妙的聲音

奧斯卡在草地上，發現了一些事……

傾聽

耳朵可以告訴我們
四周發生了什麼事。

有些東西我們
雖然看不見，
卻聽得到。

我們可以用耳朵
聽出聲音是來自
遠方……

還是來自
附近。

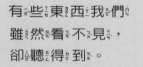

現在就聽聽看，附近有什麼樣的聲音？
再試著閉上眼睛，是不是聽得更清楚了呢？

發出聲音

不管是不是生物，
各種東西都會發出聲音。

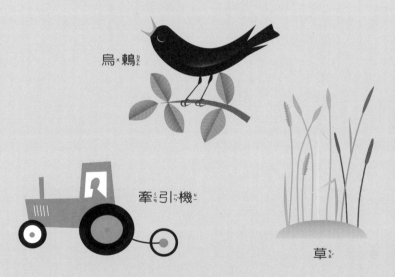

烏鶇

牽引機

草

把手指頭放在喉嚨上，
唱唱歌或說說話，
發聲的時候感覺起來怎麼樣？

不同的聲音

世界上有各式各樣的聲音，
看看下面這些聲音，
想想看有什麼不同。

哞～～！
低沉

吱吱
吱吱
尖銳

轟隆　轟隆
刺耳

滴答 滴答
輕柔

♪啾～去了～啾去了～♪
美妙

轟轟！
可怕

你喜歡哪些聲音呢？

奧斯卡覺得聲音真是太有趣了！ 你也這麼覺得嗎？